HASET, HUSUMET, REZALET | ENVY, ENMITY, EMBARRASSMENT

Haset, Husumet, Rezalet 2
Envy, Enmity, Embarrassment 2

ISBN 978-975-6959-65-7

Yürütücü Editör | *Managing Editor*
İlkay Baliç

Tasarım | *Design* **Esen Karol**

Yerleştirme fotoğrafları
Installation photos
Hadiye Cangökçe
sayfa | pages:
12, 13, 14—15, 16, 17, 18, 20, 24, 25, 26,
34—35, 37, 38, 39, 42, 43, 44, 45, 46, 47, 50,
51, 52 lüst | topl, 56—57, 66, 67, 68, 69,
70, 71, 75, 82, 87, 90, 96, 97, 98, 99,
102, 103, 104, 105, 106, 107, 124, 125, 126
Murat Germen
sayfa | pages: şömiz | dust jacket,
1, 4—5, 10—11, 19, 21, 22—23, 27, 30-31,
32—33, 36, 40—41, 48—49, 54—55,
64—65, 72—73, 76—77, 84—85, 94—95,
100—101, 108—109, 110, 118—119, 127

Açılış fotoğrafları | *Opening photos*
Cem Turgay sayfa | pages: 6, 7

Baskı ve Cilt | *Printing and Binding*
Ofset Yapımevi
Şair Sokak No: 4 Çağlayan Mahallesi
Kağıthane 34410 İstanbul, TR
T: +90 212 295 86 01

© 2013 ARTER

ARTER
sanat için alan | space for art
İstiklal Caddesi No: 211
34433 Beyoğlu, İstanbul, TR
T: +90 212 243 37 67
F: +90 212 292 07 90
E: info@arter.org.tr
arter.org.tr

Bu kitap, Arter'de
24 Ocak—7 Nisan 2013 tarihleri arasında
gerçekleşen "Haset, Husumet, Rezalet"
adlı sergiye eşlik etmektedir ve
sergi kapsamında yayımlanan
iki kitabın ikincisidir.

This book accompanies
the exhibition
"Envy, Enmity, Embarrassment"
held at Arter between
24 January—7 April 2013 and
is the second of the two publications
printed within the scope
of the exhibition.

Haset, Husumet, Rezalet
Envy, Enmity, Embarrassment
24/01/—07/04/2013

Küratör | Curator:
Emre Baykal

Selim Birsel
Hera Büyüktaşçıyan
CANAN
Aslı Çavuşoğlu
Merve Ertufan & Johanna Adebäck
Nilbar Güreş
Berat Işık
Şener Özmen
Yusuf Sevinçli
Erdem Taşdelen
Hale Tenger
Mahir Yavuz

HASET

ENVY

HUSUMET

ENMITY

REZALET

EMBARRASSMENT

94—109

**SELİM
BİRSEL**

24—26, 64—71, 120—123

**HERA
BÜYÜK-
TAŞÇIYAN**

30—39

CANAN

74—75, 77—81

**BERAT
IŞIK**

20—21, 49—51

**ŞENER
ÖZMEN**

110—117

**YUSUF
SEVİNÇLİ**

46–48, 52–53

ASLI
ÇAVUŞOĞLU

56–61

MERVE
ERTUFAN
&
JOHANNA
ADEBÄCK

42–45

NİLBAR
GÜREŞ

82–91

ERDEM
TAŞDELEN

10–19

HALE
TENGER

124–127

MAHİR
YAVUZ

Kat Planları ve İşler
Floor Plans and Works

8–9, 28–29, 62–63, 92–93

Sergideki İşler
Works in the Exhibition

128

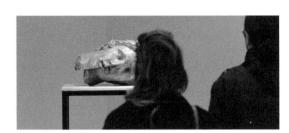

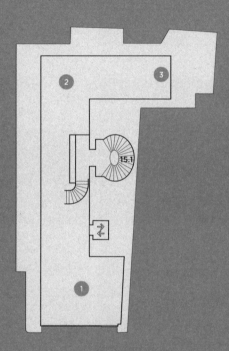

HALE TENGER
1
Böyle Tanıdıklarım Var III ¦ I Know People Like This III
2013
Basın arşivlerinden fotoğraflar, röntgen filmlerine kuru lazer baskı,
pleksi levhalar, LED, metal, her bir modülün yüksekliği 210 cm,
modüllerin toplam uzunluğu yaklaşık 45 metre, kurulum şekli değişken ¦
Photographs from press archives, dry laser print on medical imaging films,
plexiglass sheets, LED, metal; height of each module 210 cm.,
approximate length of total set of modules 45 m., dispersion pattern varies.
Röntgen filmi ölçüleri ¦ Medical film dimensions:
35 × 43 cm., 26 × 36 cm., 20 × 25 cm.
→ sayfa ¦ pages **10—11, 12, 13, 14—15, 16, 17, 18, 19, {22—23}**

ŞENER ÖZMEN
2
Bayrağından Kaçan Direk ¦ Pole Escaping Its Flag
2012
Paslanmaz çelik ¦ Stainless steel
696 × 40 cm
→ sayfa ¦ pages **20, 21, {22—23, 27, 48—49}, 50, 51, {54—55}**

HERA BÜYÜKTAŞÇIYAN
3
Kayıp Guguk Kuşu ¦ The Missing Cuckoo
2008
Guguklu saat, kumaş mendiller ¦ Cuckoo clock, cotton handkerchiefs
→ sayfa ¦ pages **24, 25, 26, {27}**

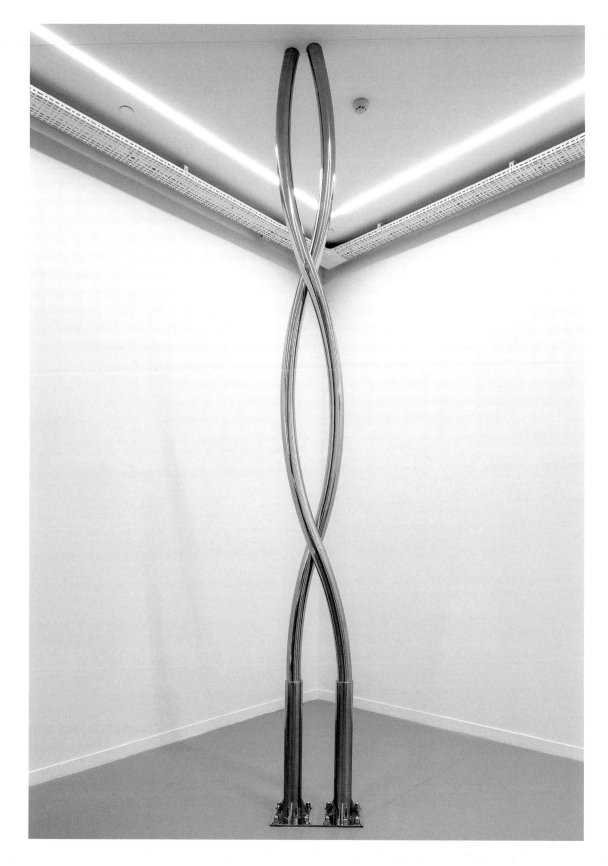

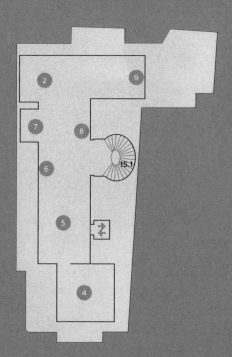

CANAN ·

4

Yalvarırım bana aşktan söz etme | I beg you please do not speak to me of love

2012

Film afişleri, bornoz | Film posters, bathrobe

→ sayfa | pages {30—31}, 32—33, 34—35, 36, 37

5

Şeffaf Karakol | Transparent Police Station

2008 [1998]

Pleksiglas, asetat üzerine dijital baskı | Plexiglass, digital print on acetate; 186,5 × 111 × 15,5 cm

Ömer M. Koç Koleksiyonu | Ömer M. Koç Collection

→ sayfa | pages {30—31}, 38, 39, {40—41}

NİLBAR GÜREŞ

6

İkiz Tanrıça: Bir Karşılaşmanın Eskizi | Twin Goddess: The Sketch of an Encounter

2012

Kumaş üzerine kolaj (karışık teknik) | Collage on fabric (mixed media); 152 × 234 cm

→ sayfa | pages {40—41}, 42, 43, 44, 45

ASLI ÇAVUŞOĞLU

7

Gordion Düğümü | Gordian Knot

2013

Seramik | Ceramic; 5 × 30 × 30 cm

→ sayfa | pages 46, 47, {48—49}

8

Stendhal Sendromu | Stendhal Syndrome

2005

Tek kanallı video, renkli, sessiz | One-channel video, colour, silent; 7'

→ sayfa | pages 52, 53, {54—55}

ŞENER ÖZMEN

2

Bayrağından Kaçan Direk | Pole Escaping Its Flag, 2012

Paslanmaz çelik | Stainless steel; 696 × 40 cm

→ sayfa | pages 20, 21, {22—23, 27, 48—49}, 50, 51, {54—55}

MERVE ERTUFAN & JOHANNA ADEBÄCK

9

İltifatlar | Compliments

2012

İki kanallı video yerleştirmesi, renkli, sesli

Two-channel video installation, colour, sound

60'

→ sayfa | pages {54—55}, 56—57, 58, 59, 60, 61

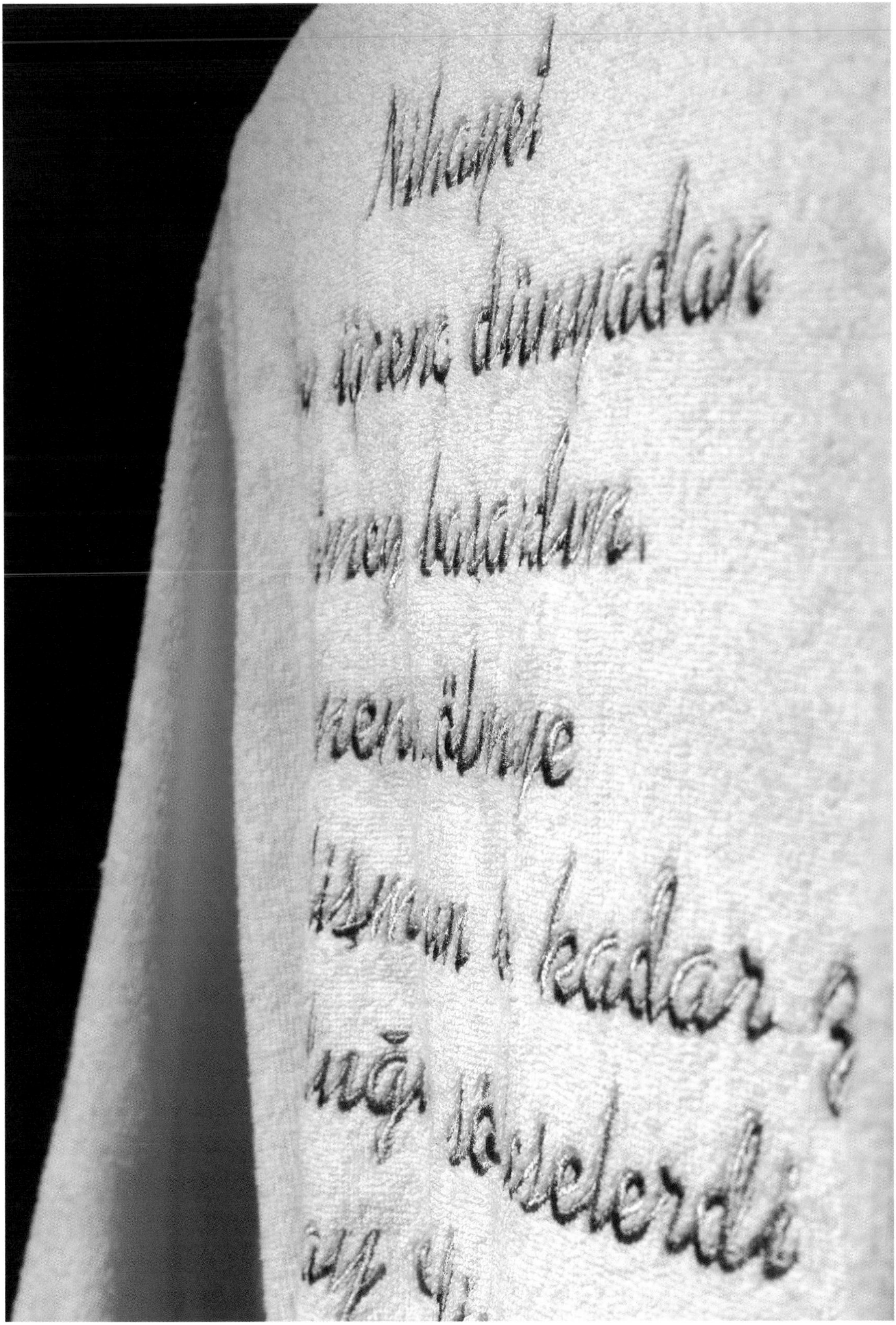

Nihayet

o ince dünyada

...mey balamların

...nen ilinje

...man k kadar g

...ngi ...selerdi

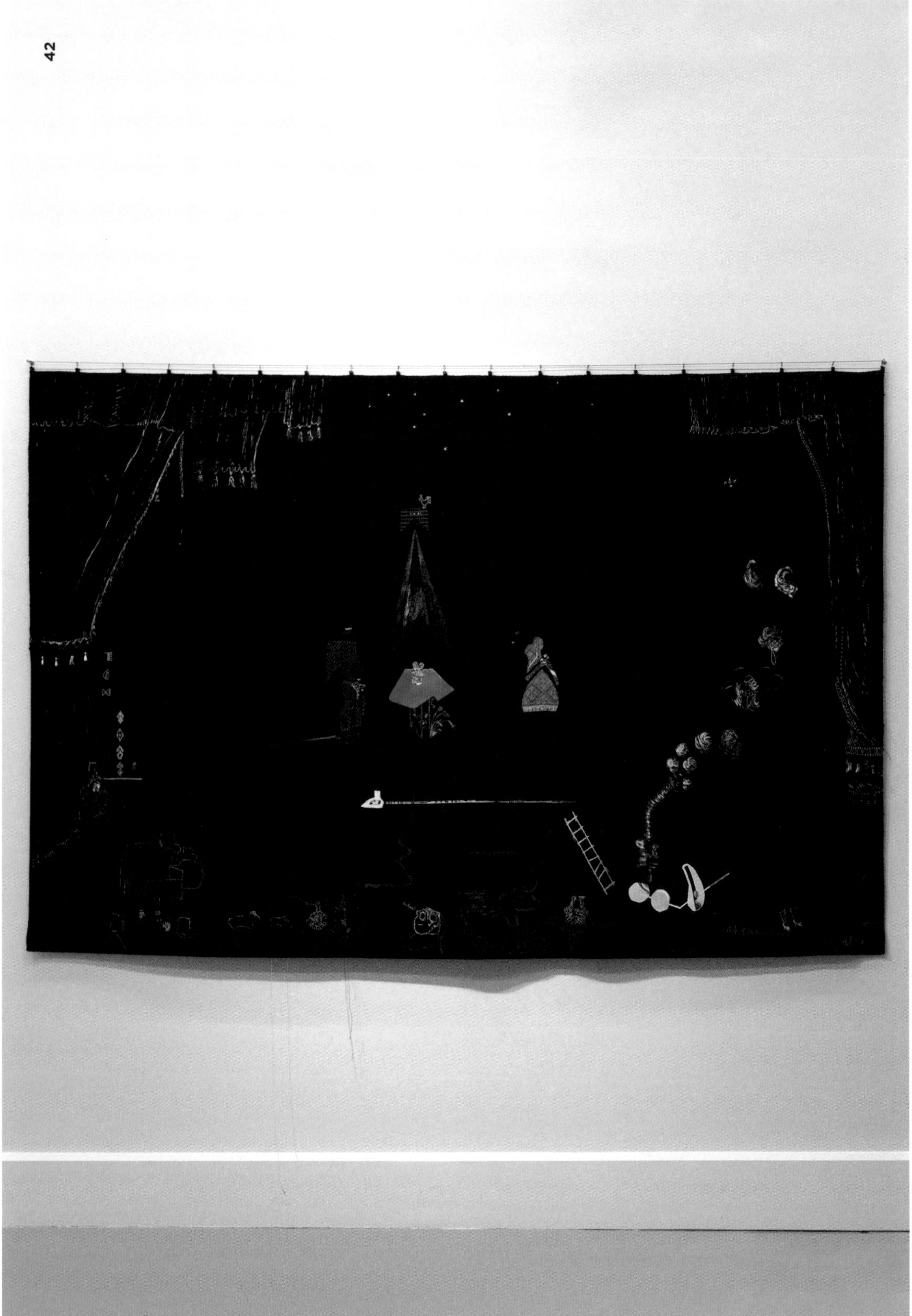

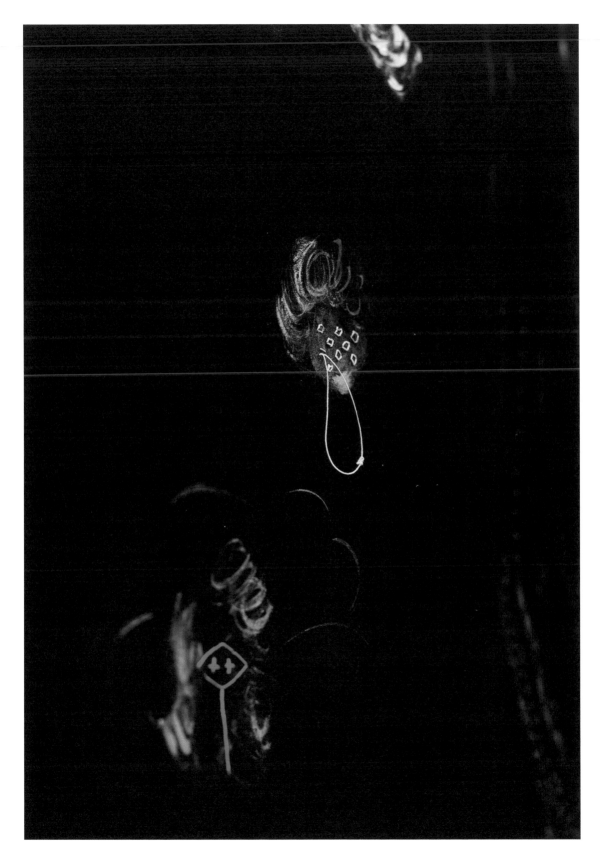

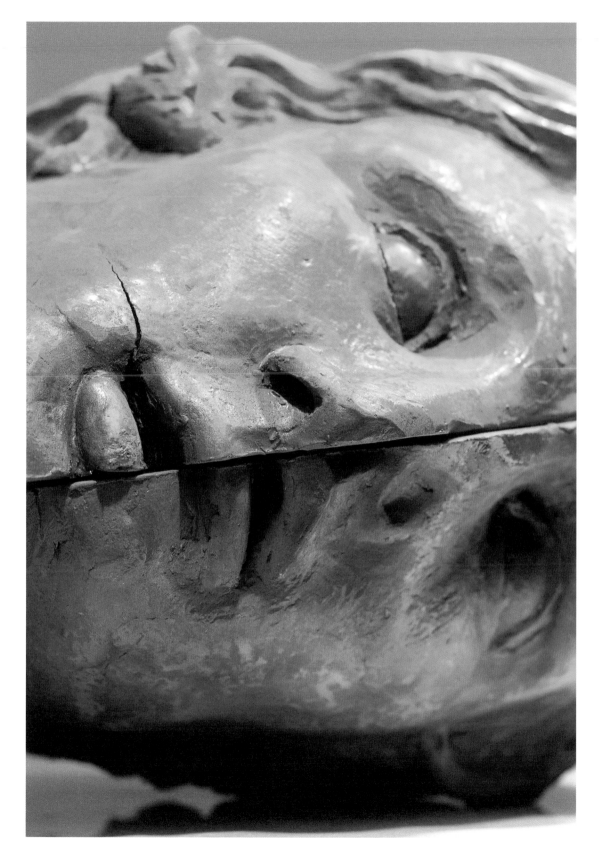

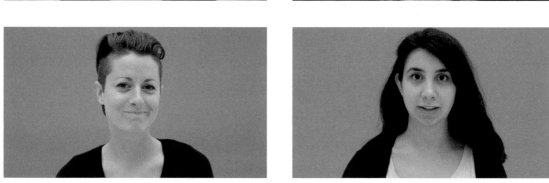

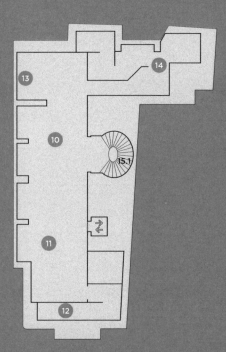

HERA BÜYÜKTAŞÇIYAN

10

Arada Bir Yerde ¦ Somewhere in the Middle

2012

Ahşap masalar, ahşap masa ayakları, bronz döküm
Wooden tables, wooden table legs, bronze casting

100 × 100 cm

→ sayfa I pages **65, 66, 67, 68, ⟨76—77⟩**

11

Ada ¦ The Island

2012

15 m² halı ve ahşap sandalye I 15 m² carpet and wooden chair

→ sayfa I pages **64, 69, 70, 71, ⟨72—73⟩**

BERAT IŞIK

12

Delik II ¦ Hole II

2012

Renkli, sessiz I Colour, silent

3′24″

→ sayfa I pages **⟨72—73⟩, 74, 75**

13

Kelebek Etkisi ¦ Butterfly Effect

2012

Renkli, sesli I Colour, sound

7′41″

→ sayfa I pages **⟨76—77⟩, 78, 79, 80, 81**

ERDEM TAŞDELEN

14

Endişeci ¦ Worrier

2012

5 ekranlı video yerleştirmesi I 5-channel video installation
Süreler I Durations:
48′ 23″ / 43′ 11″ / 55′ 54″ / 56′ 06″ / 60′ 29″

→ sayfa I pages **82, 83, 84—85, 86, 87, 88, 89, 90, 91, 92, 93**

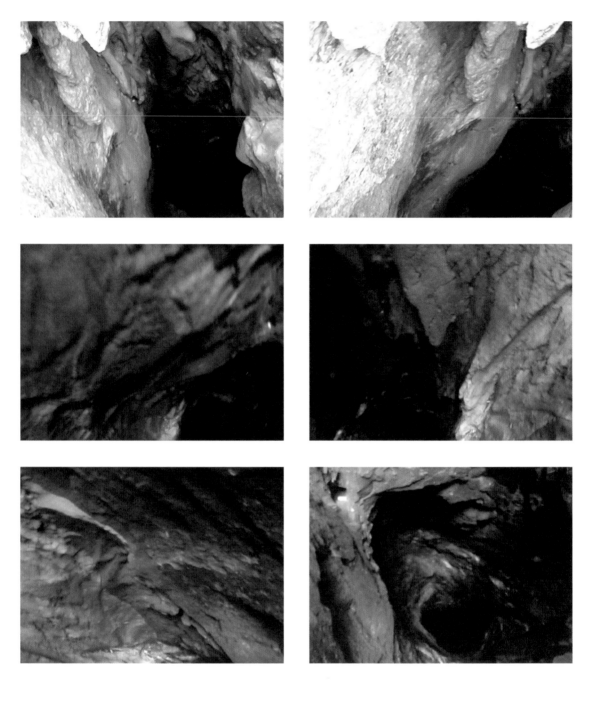

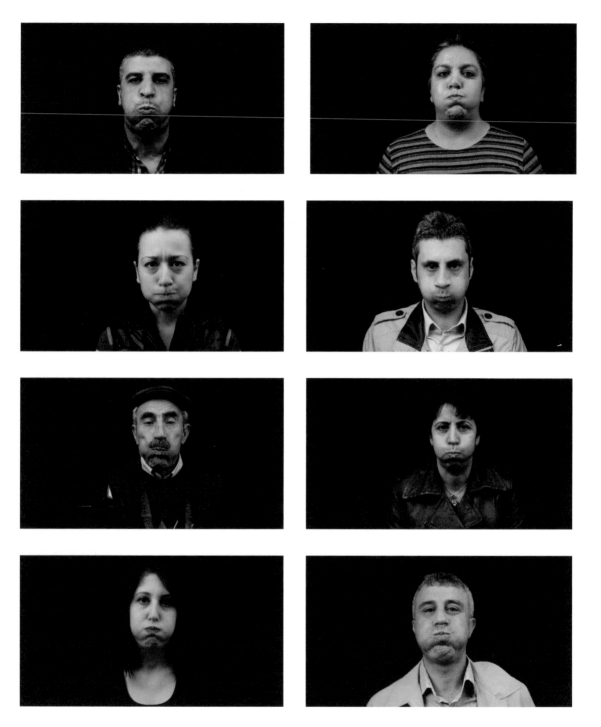

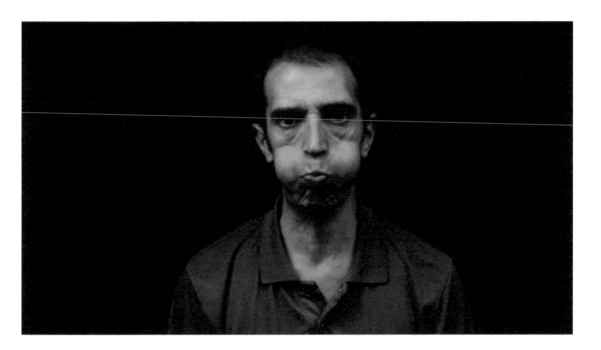

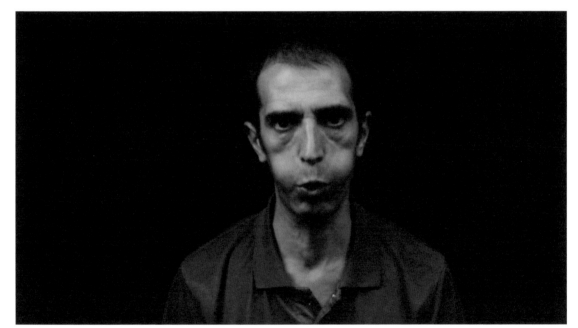

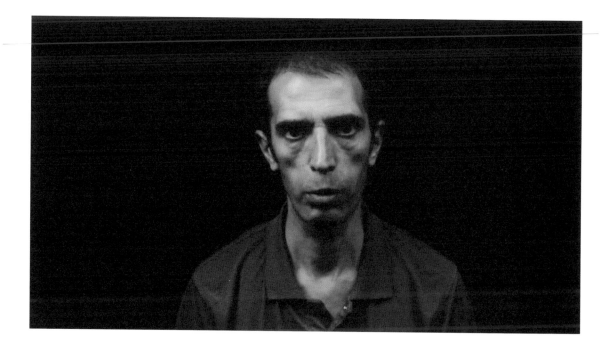
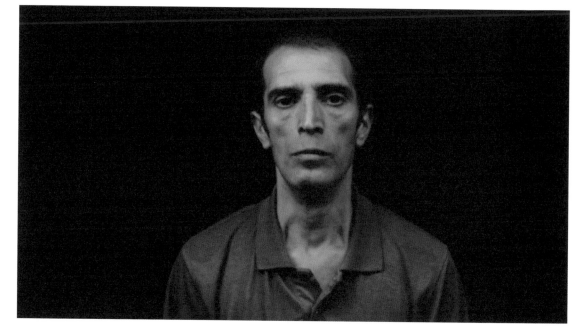

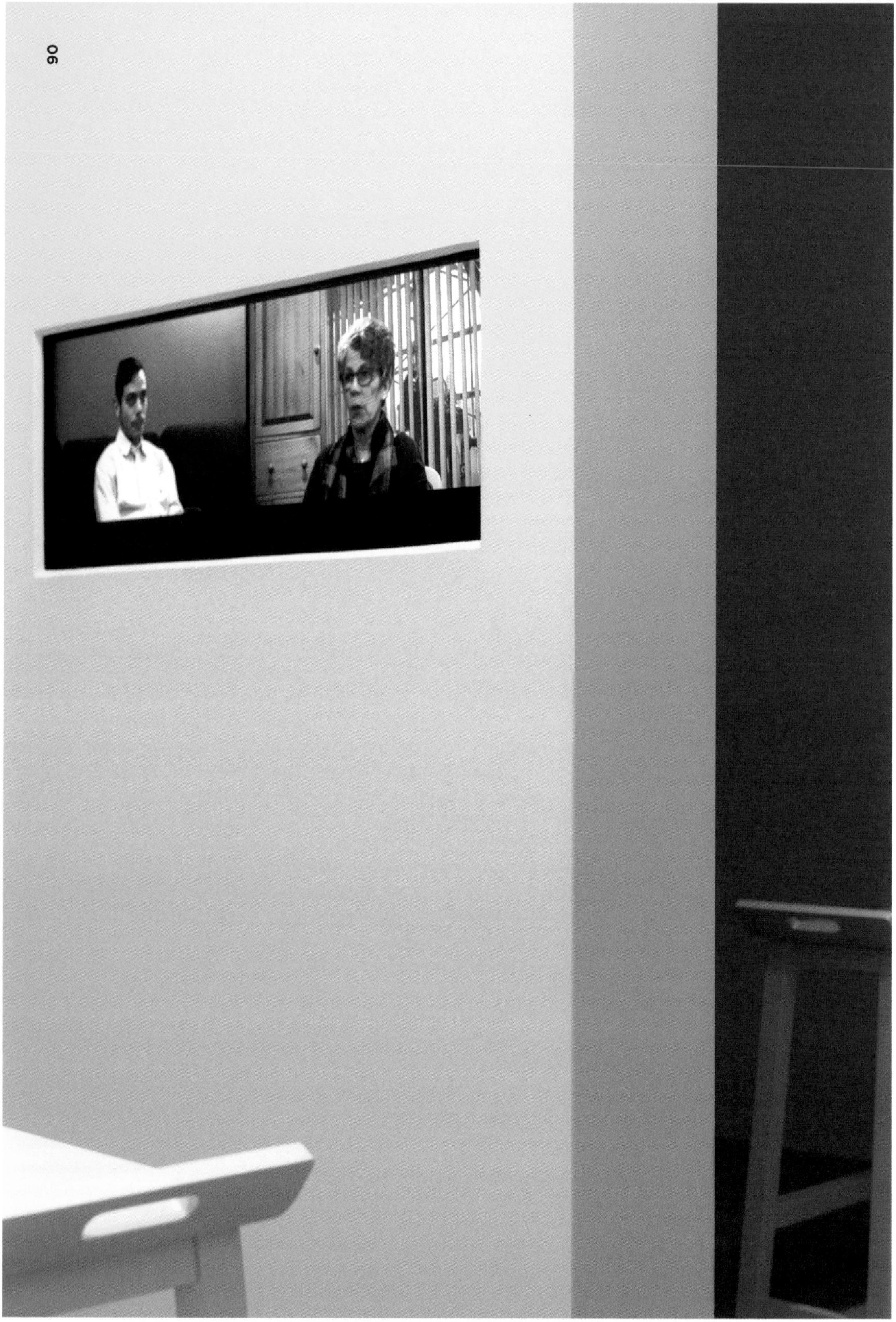

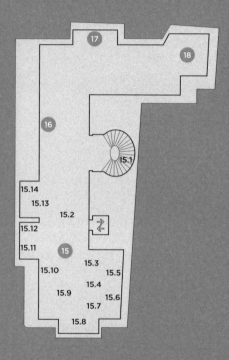

15.14
15.13
15.2
15.12
15.11
15
15.10
15.3
15.5
15.9
15.4
15.6
15.7
15.8

15.1
16
17
18

SELİM BİRSEL
15
Arka Bahçede Yetiştirilir ⋮ Grown In The Backyard

2012

→ sayfa ǀ pages 94—109

15.1
Pervasızlar
Süpürgeliği Yalar ǀ
Reckless Licks the
Baseboard, 2013
→ 95, ⟨102, 103, 104, 107⟩

15.2
Parselleme ǀ Parcelling
2012
→ 98, ⟨107, 108—109⟩

15.3
Yük ǀ Weight, 2012
→ 107 (alt ǀ bottom)

15.4
Külfet ǀ Burden, 2000
→ 105, ⟨100—101⟩

15.5
Beslenme ǀ Nutrition
2008
→ 104, ⟨100—101⟩

15.6
Hayata Bağlanmak
Grabbing on to Life
1998—99
→ 104, ⟨100—101⟩

15.7
Kan Dolaşımı
Blood Circulation
1997
→ 106, ⟨107, 100—101⟩

15.8
HayaTank Ağacı/Perde
Tank Tree of Life/Curtain
I-II-III, 2010
→ 101, ⟨103⟩

15.9
Çelik Çiçekler
Steel Flowers, 2012
→ 108—109, 101

15.10
Halfeti Siyah Gülü
Halfeti's Black Rose
2009
→ 99 (üst ǀ top), ⟨108—109⟩

15.11
Silah Temizleme Yağı
Firearms Cleaning Oil, 2009
→ 96 (sol ǀ left)

15.12
Kılık Değiştirmek
Masquerade, 1998—99
→ 96 (sağ ǀ right),
⟨108—109⟩

15.13
Çalı Okulu ǀ Truancy
2000
→ 97 (sol ǀ left),
⟨94—95, 99, 108—109⟩

15.14
Bana Bir Ev Çiz
Draw me a House
1998—99
→ 97 (sağ ǀ right),
⟨94—95, 99⟩

YUSUF SEVİNÇLİ
16
Put ⋮ Idol

2012

Inkjet arşiv baskı, alüminyum laminasyon
Archival inkjet print mounted on aluminium
→ sayfa ǀ pages 110, 111, 112, 113, 114—115, 116, 117

HERA BÜYÜKTAŞÇIYAN
17
Terk-i Dünya

2012

Aile arşivlerinden bulunmuş görüntüler, 8 mm film, 1968—69
Found footage from family archives, 8 mm film, 1968—69
Renkli, sesli ǀ Colour, sound
51'
→ sayfa ǀ pages ⟨118—119⟩, 120, 121, 122, 123

MAHİR YAVUZ
18
Totem #1: Husumet 2012 ⋮ Totem #1: Enmity 2012

2013

Strapor ǀ Styrofoam
246 × 90 cm
→ sayfa ǀ pages ⟨118—119⟩, 124, 125, 126, 127

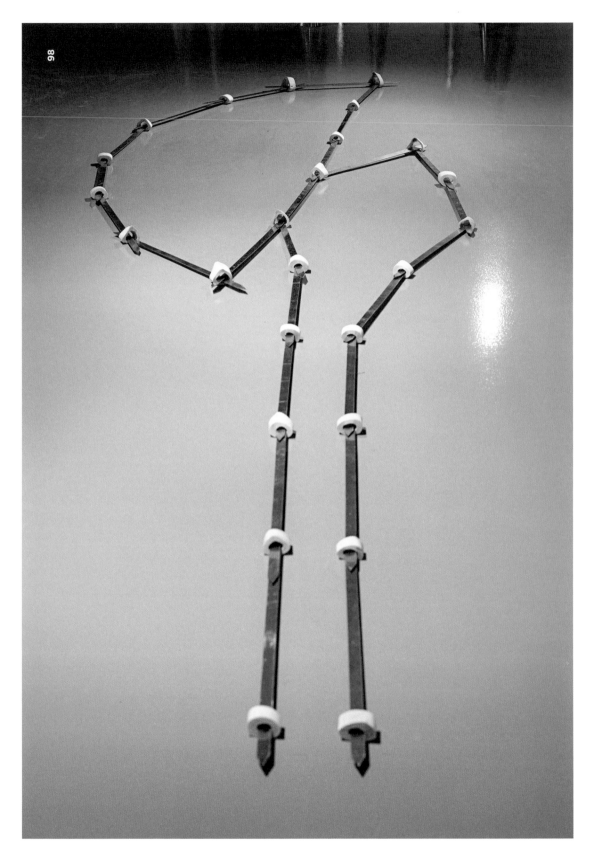

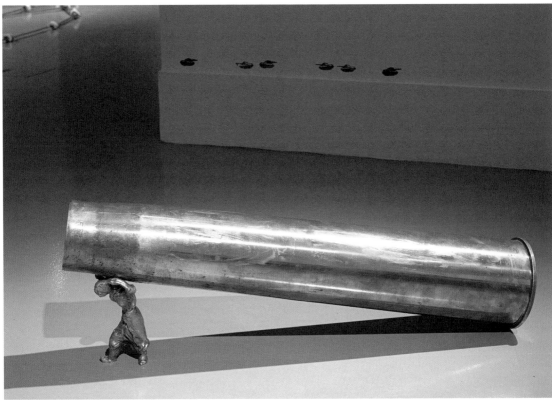

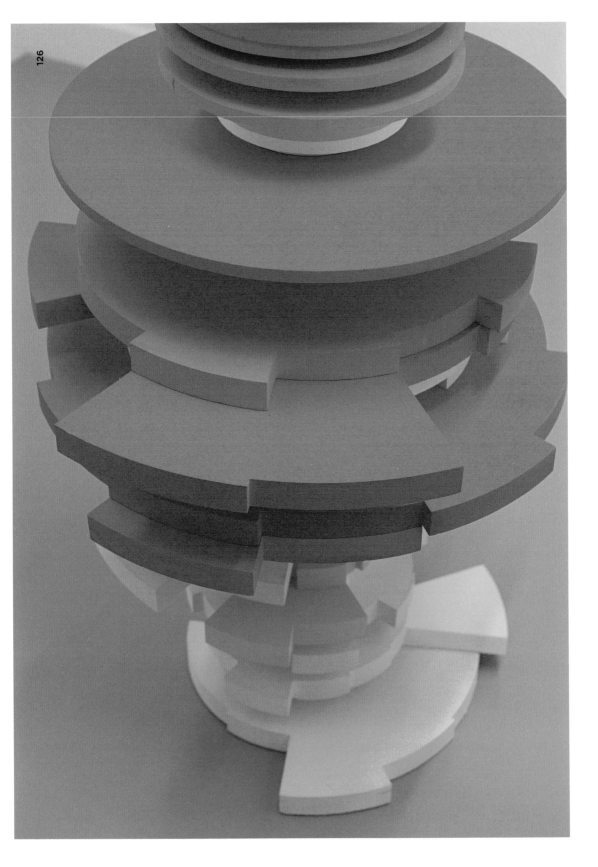

SELİM BİRSEL

Arka Bahçede Yetiştirilir
Grown In The Backyard
2012

HERA BÜYÜKTAŞÇIYAN

Arada Bir Yerde
Somewhere in the Middle
2012

Kayıp Guguk Kuşu
The Missing Cuckoo
2008

Ada | The Island
2012

Terk-i Dünya
2012

CANAN

Şeffaf Karakol
Transparent Police Station
2008 |1998|

Yalvarırım bana aşktan söz etme |
I beg you please do not speak to me
of love
2012

ASLI ÇAVUŞOĞLU

Gordion Düğümü | Gordian Knot
2013

Stendhal Sendromu
Stendhal Syndrome
2005

MERVE ERTUFAN &
JOHANNA ADEBÄCK

İltifatlar | Compliments
2012

NİLBAR GÜREŞ

İkiz Tanrıça:
Bir Karşılaşmanın Eskizi |
Twin Goddess:
The Sketch of an Encounter
2012

BERAT IŞIK

Delik II | Hole II
2012 |2010|

Kelebek Etkisi | Butterfly Effect
2012

ŞENER ÖZMEN

Bayrağından Kaçan Direk
Pole Escaping Its Flag
2012

YUSUF SEVİNÇLİ

Put | Idol
2012

ERDEM TAŞDELEN

Endişeci | Worrier
2012

HALE TENGER

Böyle Tanıdıklarım Var III
I Know People Like This III
2013

MAHİR YAVUZ

Totem #1: Husumet 2012
Totem #1: Enmity 2012
2013